Título original: *That Rabbit Belongs to Emily Brown*

© 2006, Cressida Cowell (texto) y Neal Layton (ilustraciones)

Realización y traducción: Átona, SL

ISBN: 978-84-488-2627-7

Publicado por primera vez en el Reino Unido

en 2006 por ORCHAD BOOKS

© 2007, Beascoa, Random House Mondadori, S. A.

Travessera de Gràcia, 47-49. 08021 Barcelona

Este conejo pertenece a
EMILY BROWN

Texto Cressida Cowell
Ilustraciones Neal Layton

Beascoa

Había una vez

una niña que se llamaba Emily Brown
y un viejo conejo gris que se llamaba Stanley.

Un día, Emily Brown y Stanley estaban a punto de lanzarse en cohete hacia el espacio exterior en busca de formas de vida extraterrestre, cuando se oyó un **"¡toc, toc, toc!"** en la puerta de la cocina.

Era el jefe de los lacayos de la Reina, que dijo:

La Reina ha visto con agrado tu conejo y quisiera quedarse con él. A cambio de Conejito te ofrece este osito nuevo.

Emily Brown miró el osito de la Reina.
Estaba acartonado y era dorado y horrible.
Tenía la mirada fija e inexpresiva y no sonreía.

–No, gracias –dijo Emily Brown–. Este conejo NO está en venta.
Y no se llama Conejito. Se llama STANLEY.

Y Emily Brown cerró la puerta educadamente.

Al cabo de una hora más o menos, Emily Brown y Stanley estaban dando una vuelta por el desierto del Sahara en moto, cuando se oyó "**¡toc, toc, toc!**" en la puerta del jardín.

Era el Ejército.
El capitán saludó y dijo:

Emily Brown contestó:
–No quiero diez muñecas parlanchinas, yo quiero mi conejo.
Y no se llama Conejito. Se llama STANLEY.

Y Emily Brown echó al Ejército, esta vez un poco enfadada.

Al cabo de unos días, Emily Brown y Stanley estaban haciendo submarinismo en el arrecife de coral, cuando se oyó un "**¡toc, toc, toc!**" en la puerta del jardín.

Era la Armada.
El almirante saludó y dijo:

Su Muy Gloriosa Majestad la Reina Gloriana Tercera saluda a la señorita Emily Brown, y le gustaría que le cediera este conejo en cuanto le sea posible. Le hace saber que es la persona más elegante del mundo y que Conejito estaría mucho mejor con ELLA. A cambio, le ofrece el osito dorado nuevo, diez muñecas parlanchinas que dicen «mamá, mamá» y cincuenta caballos balancín que no paran de columpiarse.

¡Mamá!

–A mí no me importa QUIÉN sea –dijo Emily Brown–.
Este conejo es MÍO. Y no se llama Conejito.
Se llama STANLEY.

Y echó a la Armada.

Al cabo de unas semanas, Emily Brown y Stanley estaban de expedición por la selva amazónica, cuando se oyó un "¡**toc, toc, toc!**" en la puerta del jardín.

Eran las Fuerzas Aéreas.

El comandante del escuadrón saludó y dijo:

Su Excelencia la Muy Poderosa Reina Gloriana Tercera saluda a la señorita Emily Brown y le comunica que debe entregarle a Conejito AHORA MISMO o NO SE HACE RESPONSABLE DE LAS CONSECUENCIAS. A cambio le dará un osito dorado nuevo, diez muñecas parlanchinas que dicen «mamá, mamá»...

¡Entonces sí que la paciencia
de Emily Brown se agotó!
Echó a las Fuerzas Aéreas y clavó un gran cartel en la verja del jardín
donde decía:

Al cabo de unos meses, Emily Brown y Stanley
estaban durmiendo en su cama, soñando con las aventuras
que les esperaban al día siguiente, cuando no hubo ningún ruido en la puerta,
ni en la verja, ni en la ventana.

Sigilosamente, los comandos especiales de la Reina...

se colaron en la habitación y ROBARON el conejo que pertenecía a Emily Brown.

A la mañana siguiente, cuando Emily Brown
se despertó notó que, por primera vez en su vida,

¡STANLEY NO ESTABA!

Emily Brown se puso FURIOSA.
Sabía exactamente qué había pasado.
Se dirigió con paso firme al Palacio de la Colina.

Llamó a la puerta principal del palacio
de la desagradable Reina.

¡Toc, toc, toc!

Emily Brown entró corriendo en el palacio
y encontró a la desagradable Reina llorando como
una Magdalena. En cuanto la Reina la vio, le dijo:

Gracias a Dios que has
venido, Emily Brown.
¡A Conejito le ha ocurrido
algo grave!

Y realmente a Stanley le había ocurrido algo muy grave.

La egoísta y desagradable Reina lo había metido en la lavadora real toda la noche y había quedado de un color rosado un poco raro.

Los sastres reales lo habían vuelto a rellenar y
ya no le colgaban las piernas y los brazos. Y, lo peor de todo,
le habían cosido de nuevo la boca, que Emily Brown
había arrancado. Stanley ya no podía sonreír.

Stanley estaba FATAL.

–¡Oh, Emily Brown, Emily Brown! ¿Puedes hacer algo por él? –preguntó la egoísta y desagradable Reina.
–Pues sí –dijo Emily Brown–,

me llevo a Stanley a CASA.

La Reina egoísta empezó a llorar desconsoladamente:
–Tengo todos los juguetes del mundo, pero ninguno es tan bonito como STANLEY.

A Emily Brown le supo mal que la Reina egoísta
se pusiera tan triste,

así que se fue al armario de los juguetes reales,
sacó el osito dorado y se lo puso a la Reina
sobre las rodillas.

Emily Brown le susurró al oído:

–Toma, coge este osito dorado horroroso y juega con él todos los días. Duerme con él cada noche. Sujétalo muy fuerte y asegúrate de que paséis muchas aventuras juntos. Y así, puede que un día te despiertes y ya tengas un juguete realmente TUYO.

Y Emily Brown y Stanley se fueron a casa.

Y eso fue lo último que Emily Brown y Stanley
supieron de la egoísta y desagradable Reina
durante un tiempo.

Pero al cabo de un par de años,
un día que Emily Brown y Stanley estaban explorando
las regiones remotas de la Vía Láctea...

...se oyó un
"¡toc, toc, toc!"
en la puerta
de la cocina...

Era el cartero con una carta para Emily Brown.

Sólo decía:

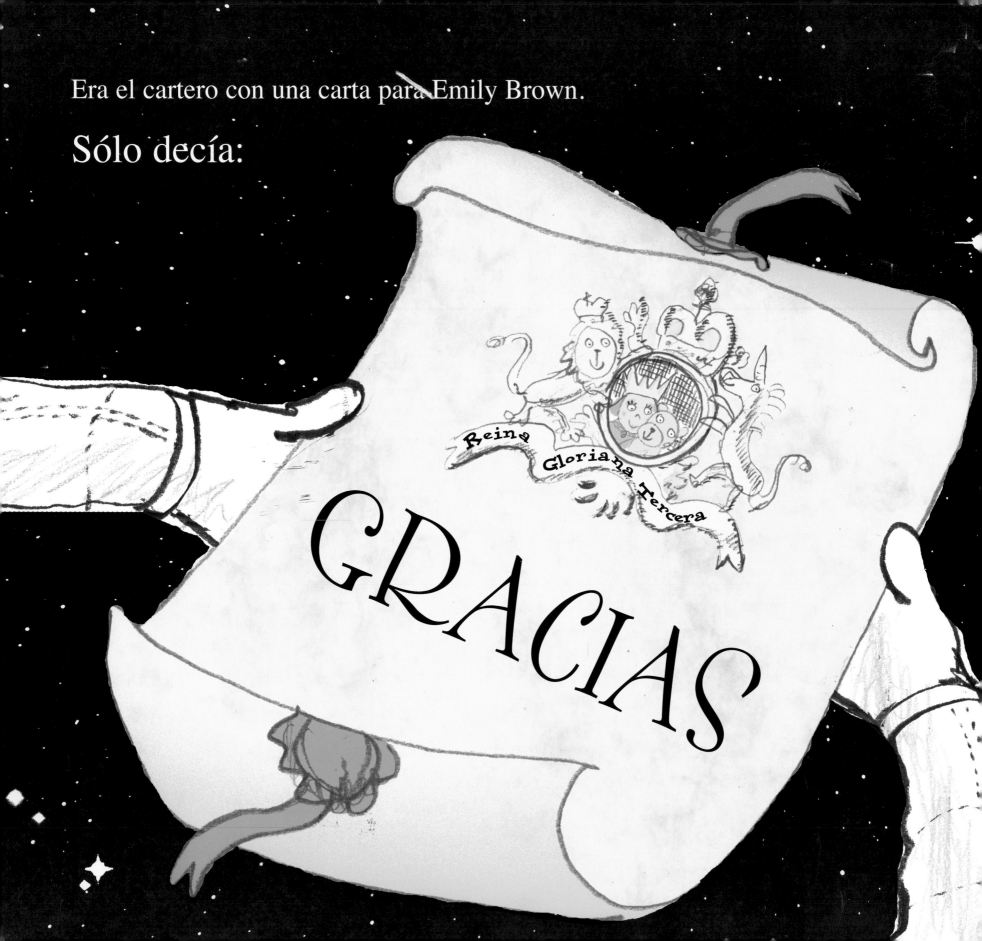

Reina Gloriana Tercera

GRACIAS